# 张玄墓志

名家教你写

# 视频精讲版

◎张有清 编

中原出版传媒集团
中原传媒股份公司
河南美术出版社
·郑州·

**图书在版编目（CIP）数据**

张玄墓志／张有清编．— 郑州：河南美术出版社，2023.2
（名家教你写：视频精讲版）
ISBN 978-7-5401-6064-7

Ⅰ．①张… Ⅱ．①张… Ⅲ．①楷书－碑帖－中国－北魏 Ⅳ．①J292.23

中国国家版本馆CIP数据核字（2023）第005825号

名家教你写　视频精讲版

**张玄墓志**

张有清　编

出版人　李　勇
责任编辑　王立奎
责任校对　管明锐
装帧设计　张国友
出版发行　河南美術出版社
　地　址　郑州市郑东新区祥盛街27号
　邮政编码　450016
　电　话　0371-65788152
印　刷　河南瑞之光印刷股份有限公司
经　销　新华书店
开　本　889mm×1194mm　1/16
印　张　2.5
字　数　32千字
版　次　2023年2月第1版
印　次　2023年2月第1次印刷
书　号　ISBN 978-7-5401-6064-7
定　价　25.80元

# 出版说明

《张玄墓志》，全称《魏故南阳张府君墓志》，清代为避康熙帝玄烨讳，故一般称《张黑女墓志》。此志刻于北魏普泰元年（531），共二十行，满行二十字，共三百六十七字。

此志原石已佚，仅有原拓剪裱孤本一册，十二页，页四行，行八字。此本有多位名家题跋，民国期间曾归无锡秦文锦，今藏于上海博物馆。

《张玄墓志》书法秀美，在用笔中变化较多，可谓是中侧锋并用，中锋多为长横、长捺等主要笔画，而侧锋主要集中在一些短钩和短撇中。在一些字的横画起笔、收笔时，仍有隶书之状，一些字的撇、捺、竖钩、弯钩的写法仍可见隶法。为了丰富同一笔画的变化，往往在一些笔画中掺以篆隶笔意，别于唐人楷书，以求得此碑的神韵风骨。

统观南北朝真书，并不都是横平竖直。如《郑文公碑》结体方正，但横竖多波动、涩进；《张猛龙碑》则取纵势，横多取斜势，通篇字左倾右仰，给人以活泼飞动的感觉。而《张玄墓志》结体取隶法，故多横平竖直，但其难得之处在于平而不滞、直而不僵。其横画特见功夫，如包慎伯所谓『中实之妙』，以其质的变化来求骨力、古朴和气韵。《张玄墓志》作为楷书，其字势的飞动不仅在于对整体宽扁的把握，更在于对小笔画的运用。除点的动态和连带意识使字的动感增强外，一些笔画以『点』来代替，更增强了整个字的灵活性。

在章法上，行密字舒，空灵舒朗。此志章法布局整齐，字距稍大，行距稍小。从原帖中可以看出最后几行呈错落的形态，与行书章法类似，带有几分灵动之气。在临习时，要特别注意字与字之间的布局，行与行之间的关系。此帖在章法上值得一提的是，在楷书中出现了删除符号，如『长』字右侧的三个点即是删除符号。一般情况下，在行草中多见删除符号，在楷书中还是极为少见的。

就学楷书而言，《张玄墓志》书法精美，字口清晰，便于学书者去临习。此志刚笔中出柔意，结体内紧外放。临写此碑，要有强劲的腕力，否则难得其神韵。《张玄墓志》中有许多字含有篆、隶笔画，可以从中了解到一些书体演变过程的风格流变，能进一步加强对其书法特点的把握。当然，临习此碑时，不能一味模仿，要能从破损残缺中寻觅原书神韵，把这种神韵带到书法创作中去，以求事半功倍。

《张玄墓志》于刚强中也含有南帖清秀恬雅之风，在当时可谓独树一帜，是天然生趣与精美灵秀的融合。《张玄墓志》是中国书法艺术的瑰宝，临习此帖要下一番功夫才可，注意行笔中的节奏及其笔画之间的连贯，保持整篇顺畅的气息。临习《张玄墓志》既可以避免初学墓志而坠入粗野，也可以避免单纯学习唐楷而陷于刻板。

为方便书法爱好者学习，特邀请书法名家张有清老师对全书进行通篇临摹示范并选取范字进行讲解。另外，我们运用现代科技手段，制作成扫描二维码即可观看的讲解视频，以飨读者。

魏故南阳张府

君墓志君讳玄

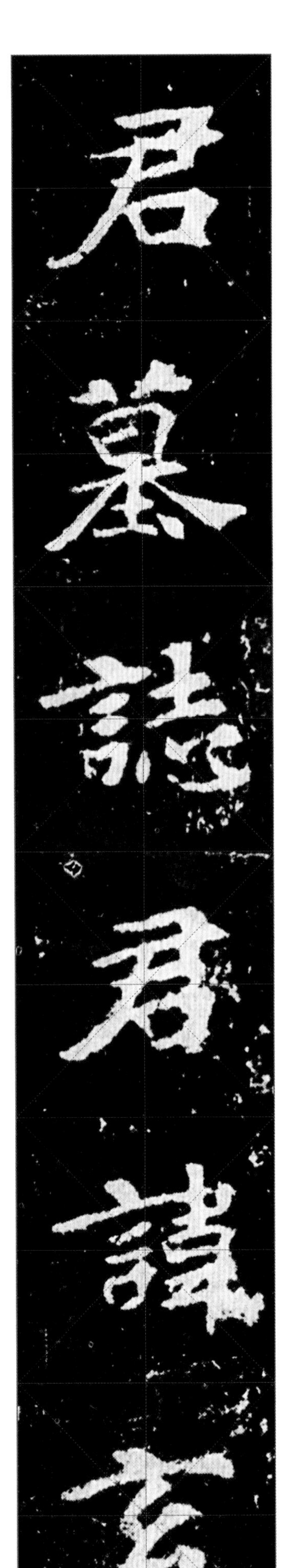

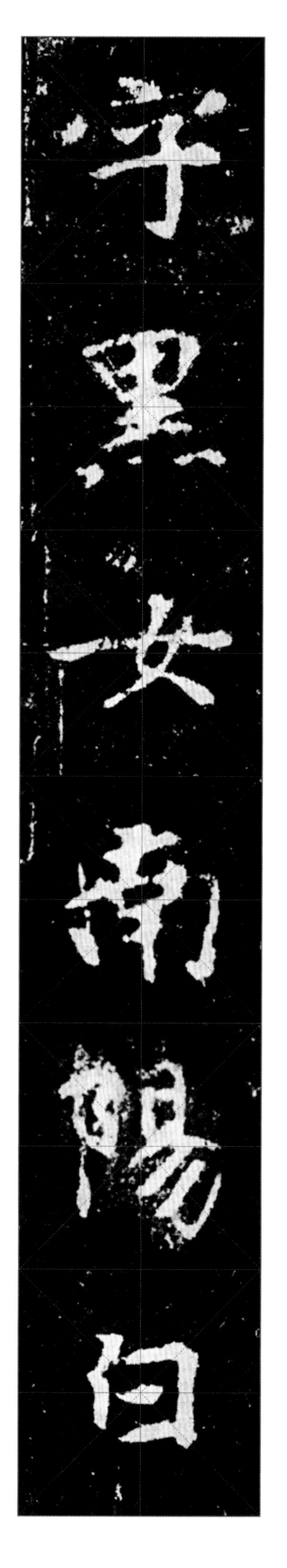

字黑女南阳白

水人也出自皇

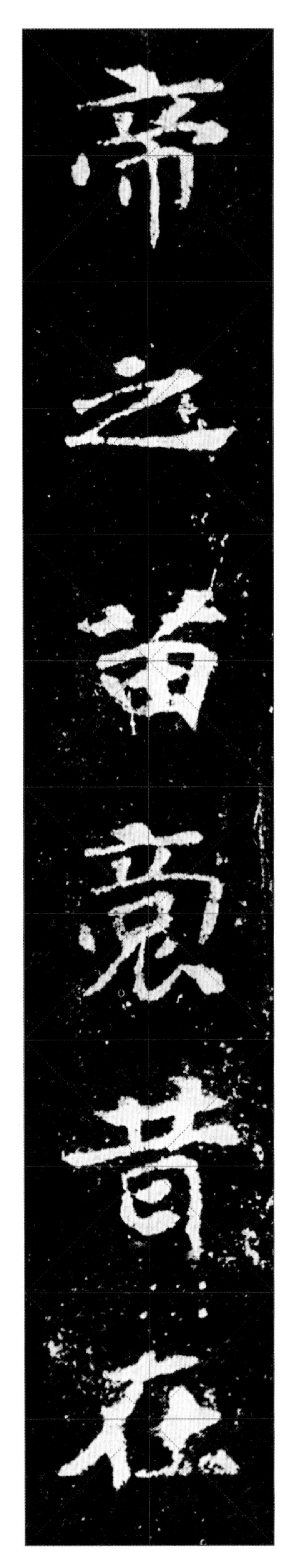

帝之苗裔昔在

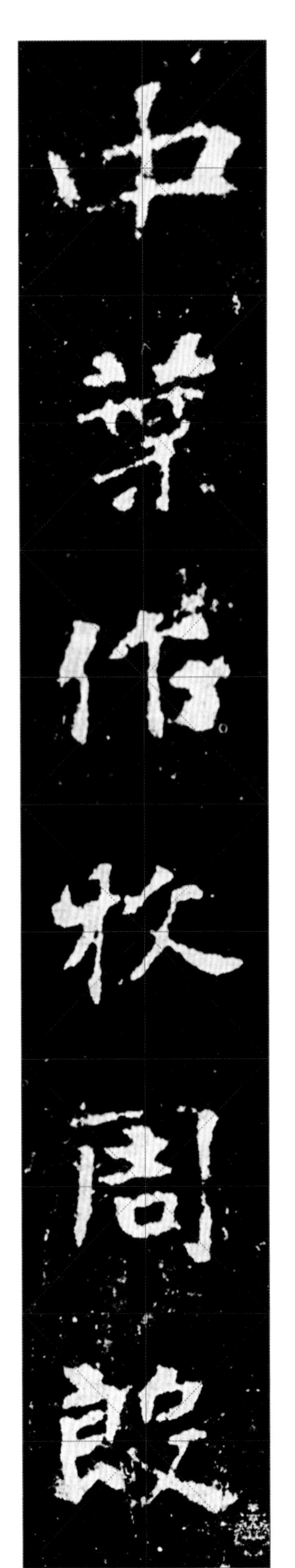

中叶作牧周殷

爰及汉魏司徒

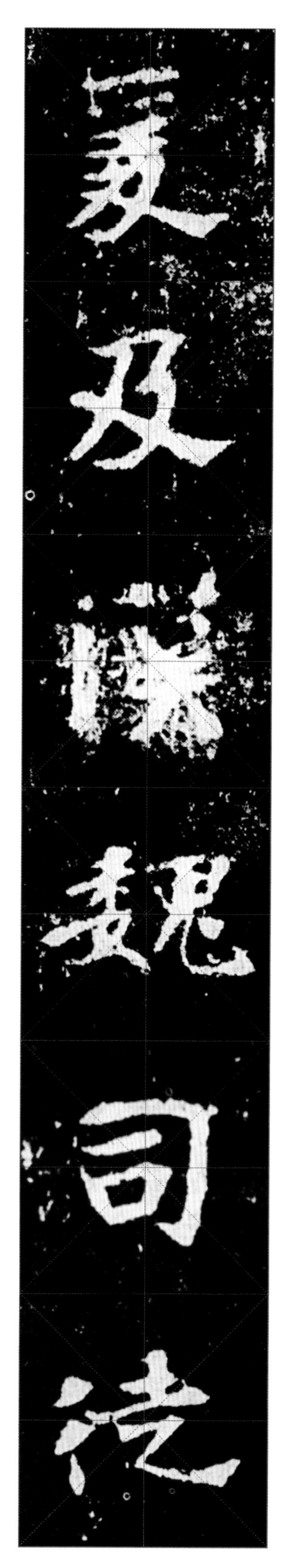

司空不因举烛

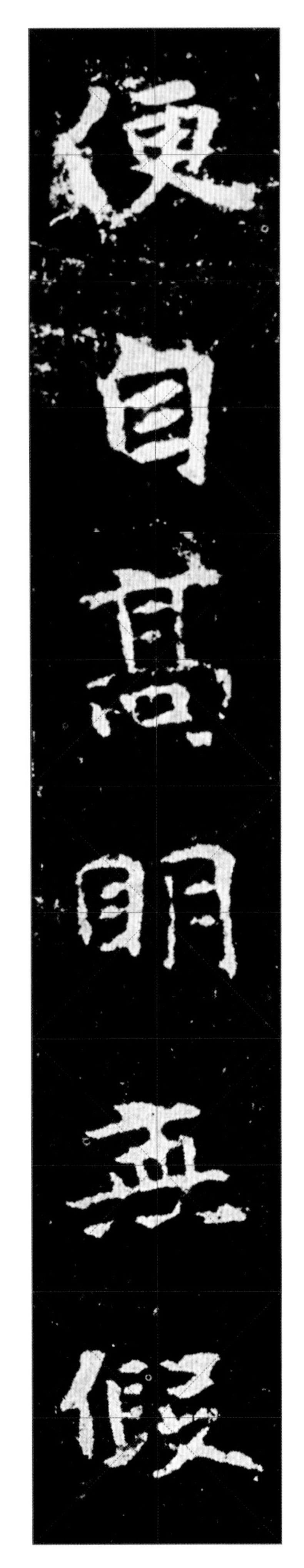

便自高明无假

置水故以清洁

远祖和吏部尚

书并州刺史祖

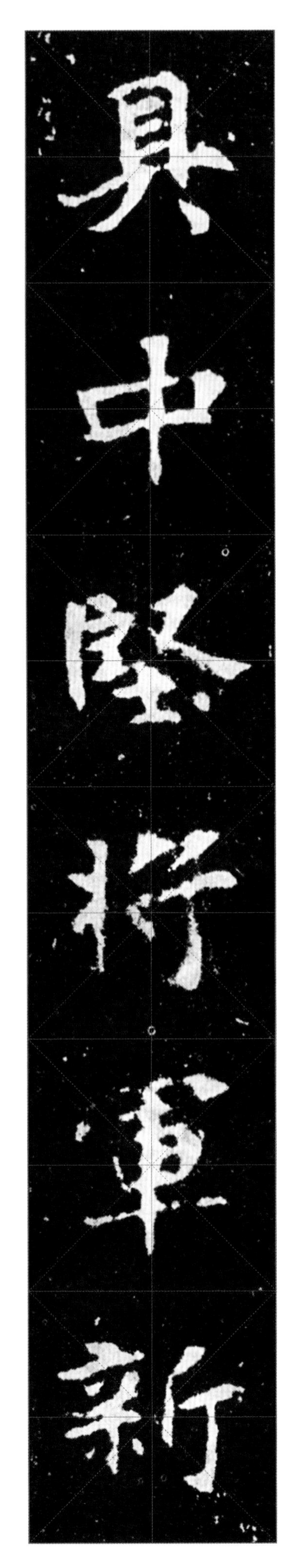

具中坚将军新

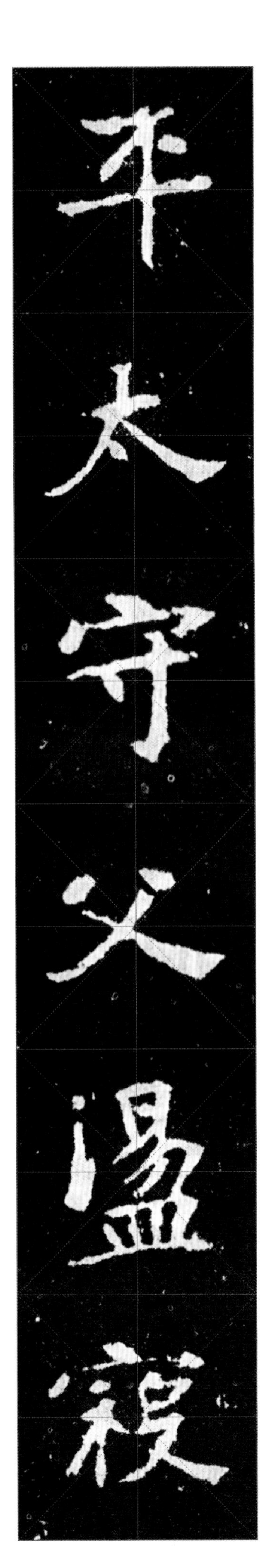

平太守父荡寇

将军蒲坂令所

谓华盖相晖荣

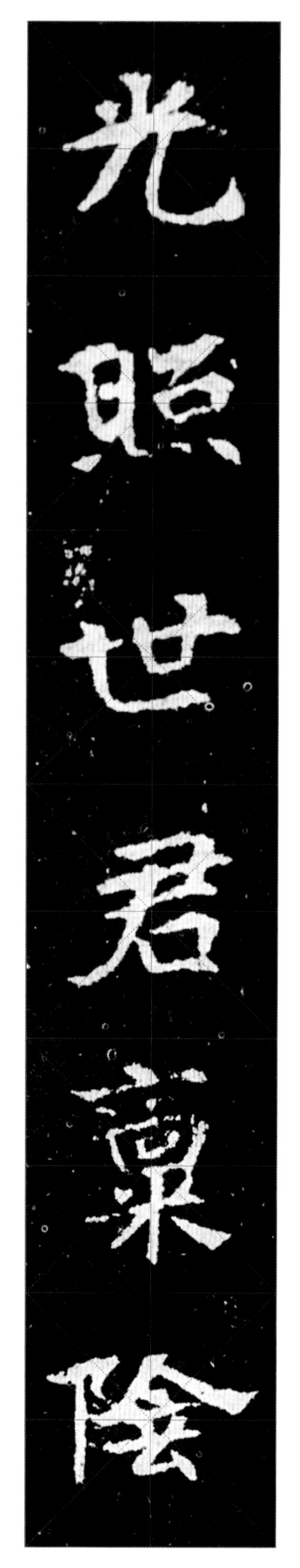

光照世君禀阴

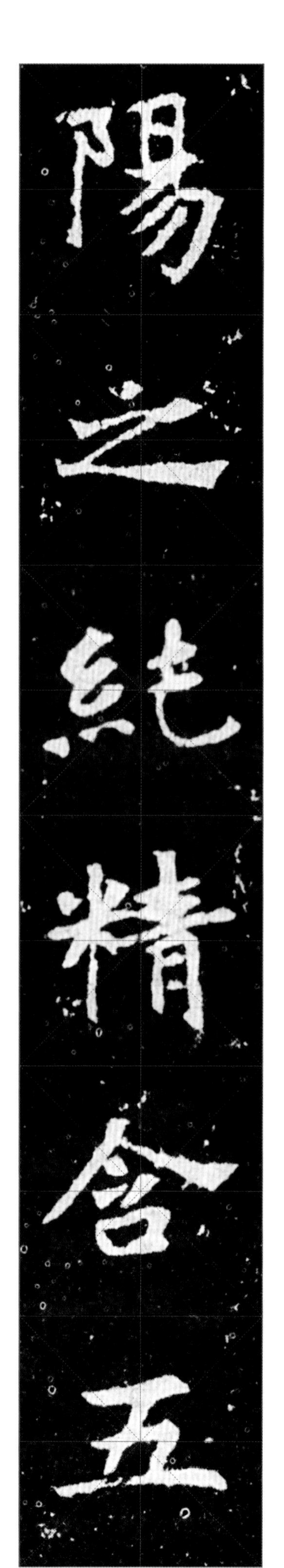


阳之纯精舍五

行之秀气雅性

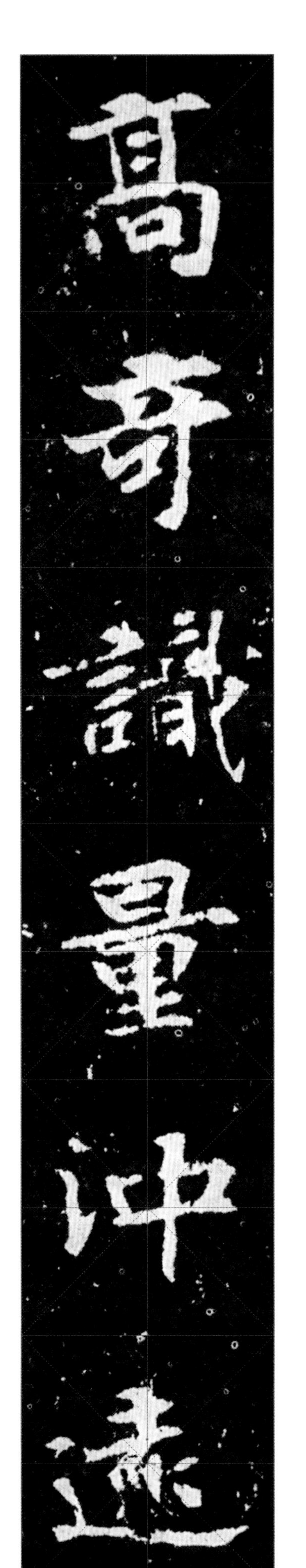

高奇识量冲远

解褐中书侍郎

除南阳太守严

威既被其犹草

上加风民之悦

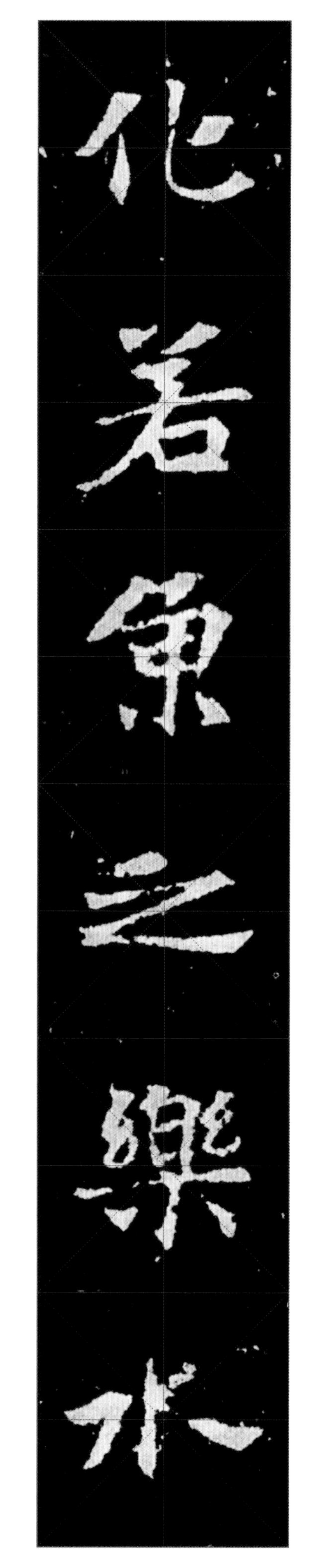


化若鱼之乐水

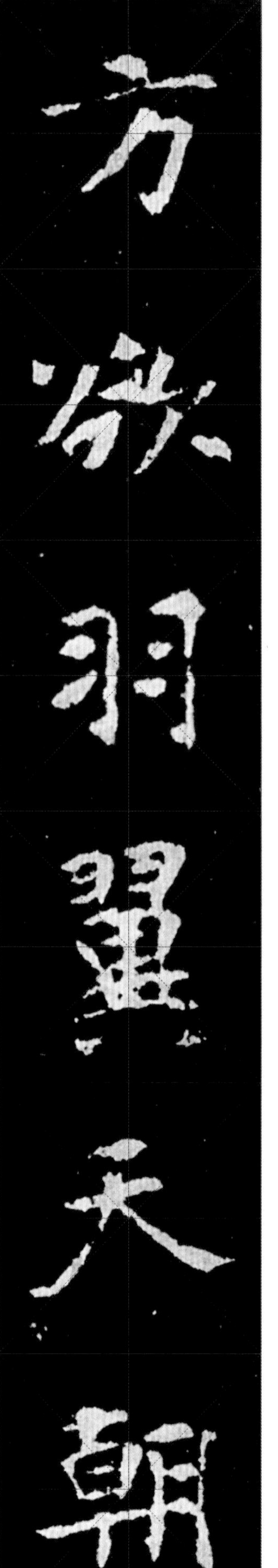


方欲羽翼天朝

抓牙帝室何图

幽灵无简歼此

名哲春秋卅有

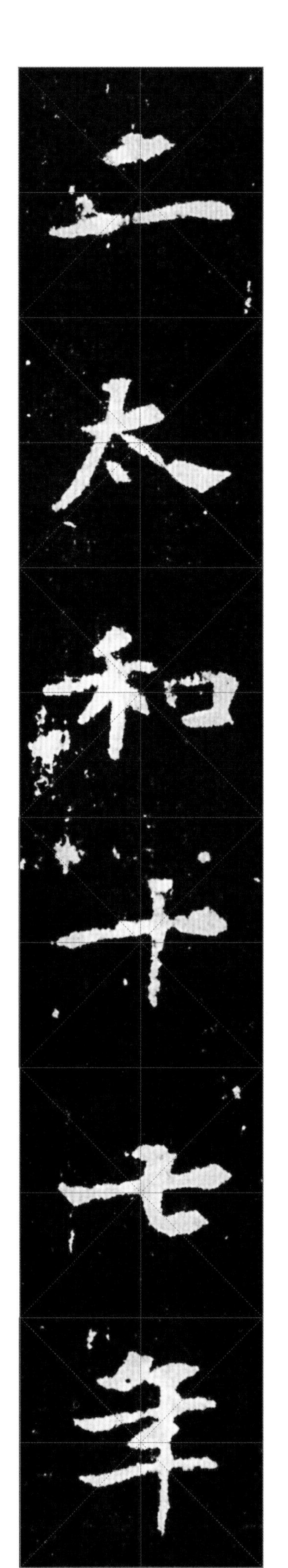

二太和十七年

蕘于蒲坂城建

中乡孝义里妻

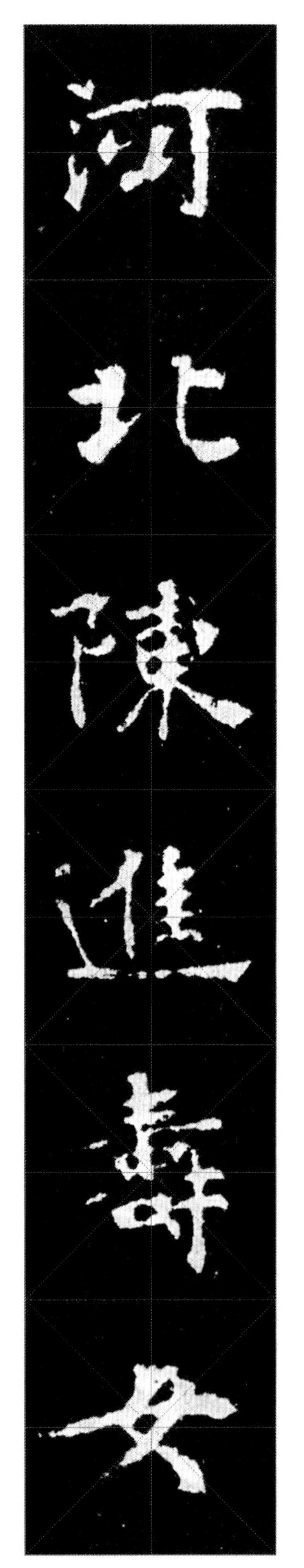

河北陈进寿女

寿为巨禄太守

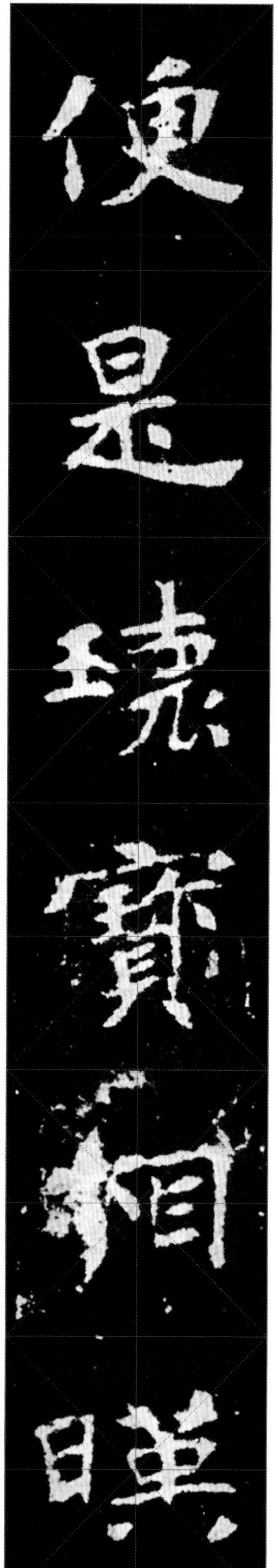

便是瑰宝相映

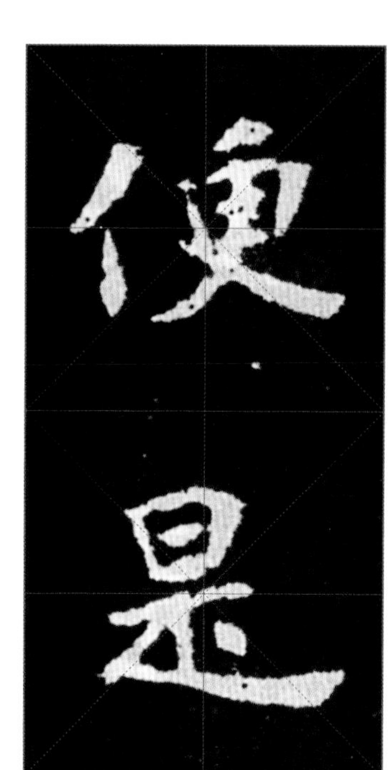

双玉参差俱以

普泰元年岁次

辛亥十月丁酉

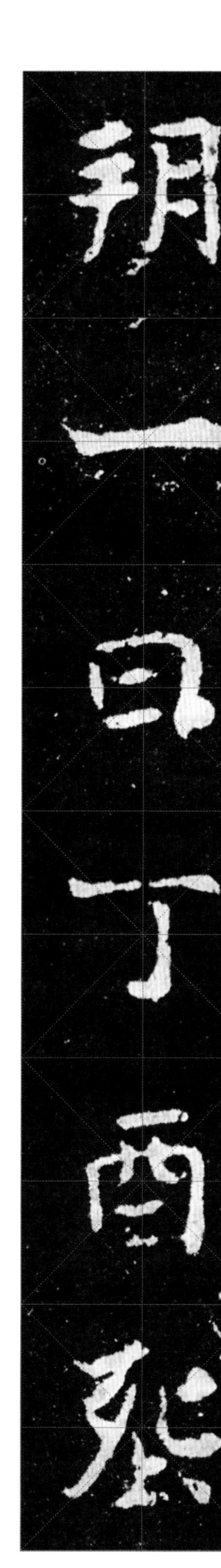

朔一日丁酉葬

于蒲坂城东原

之上君临终清

悟神诮端明动

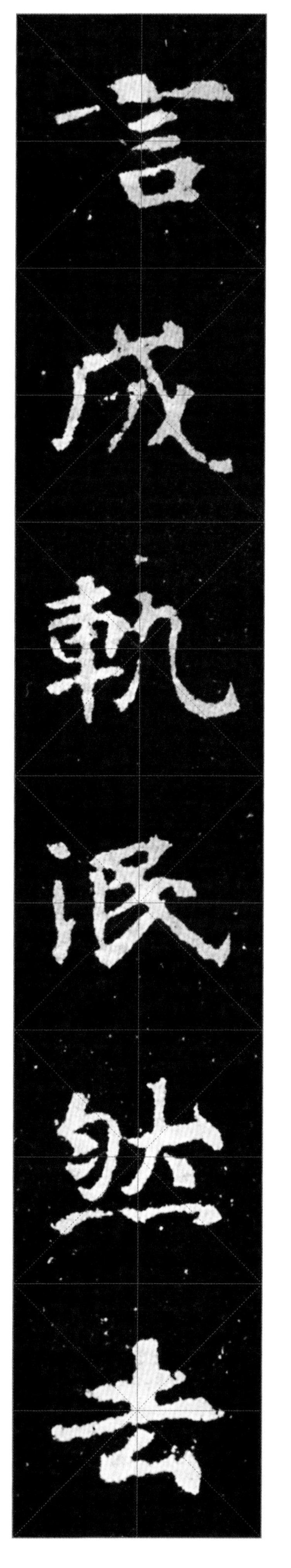

言成轨泯然去

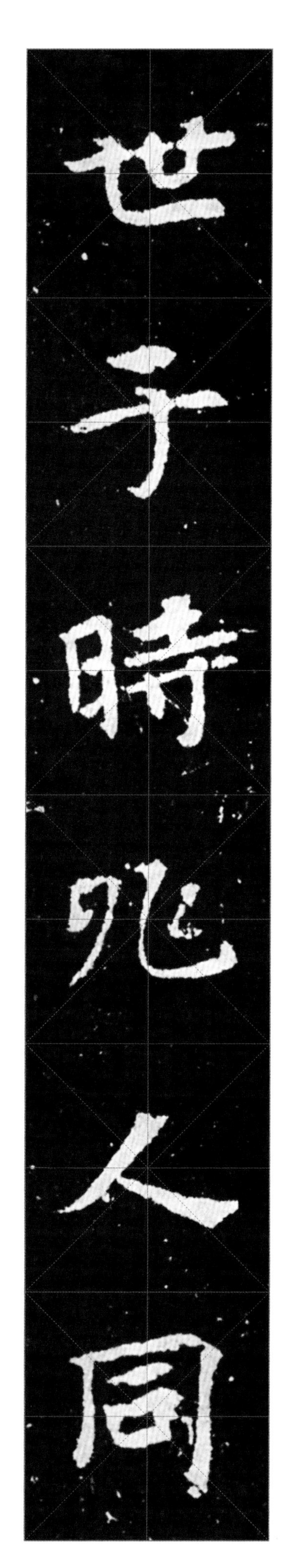

世于时兆人同

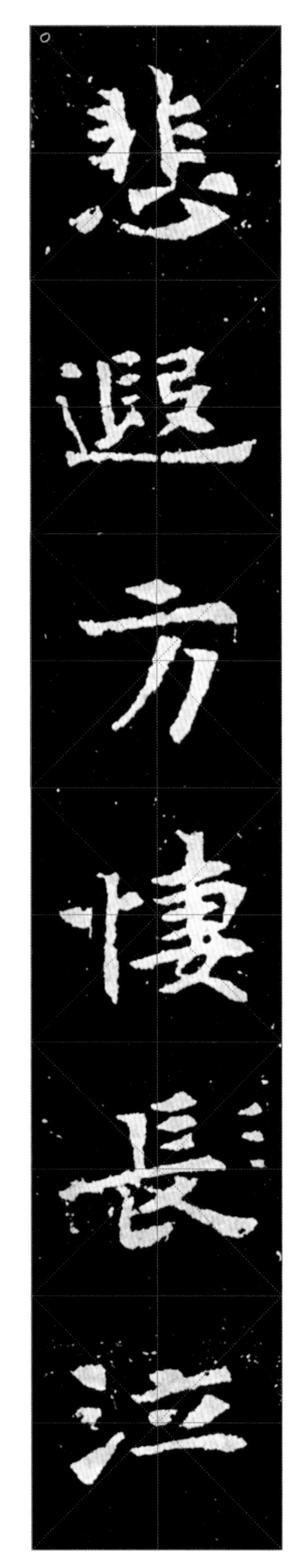

悲遐方凄长泣

故刊石传光以

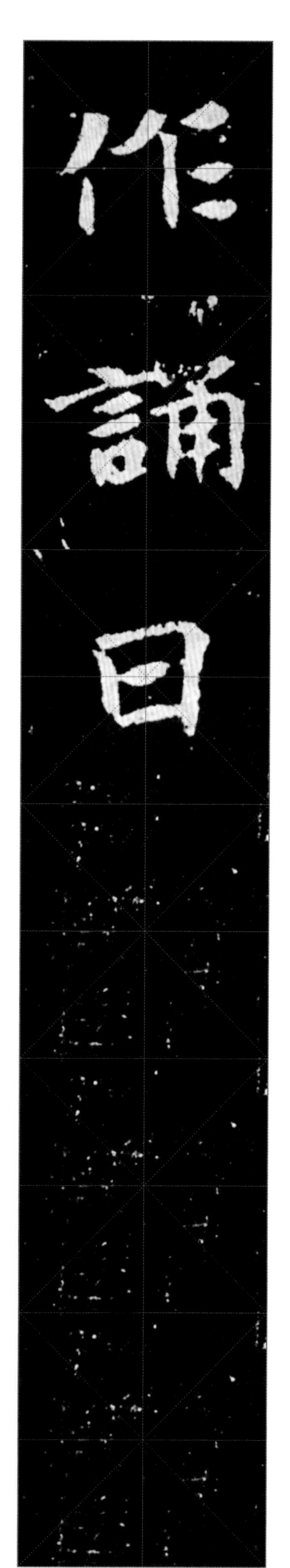

作诵曰

郁矣兰胄茂乎

雨散运谢星驰

时流迅速既雕

桐枝复摧良木

三河奄曜巛坵

丧烛痛感毛群

悲伤羽族扃堂

无晓坟宇唯昏

咸韬松户共寝

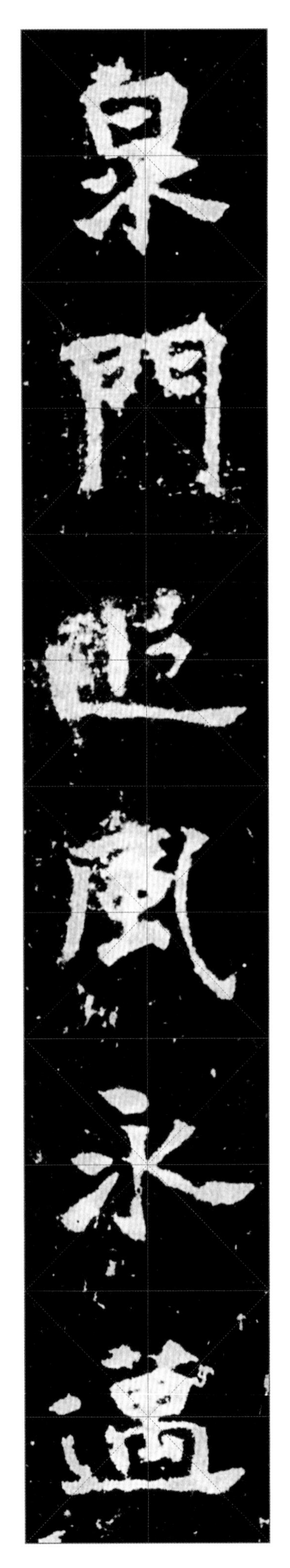

泉门追风永迈

式铭幽传

帝

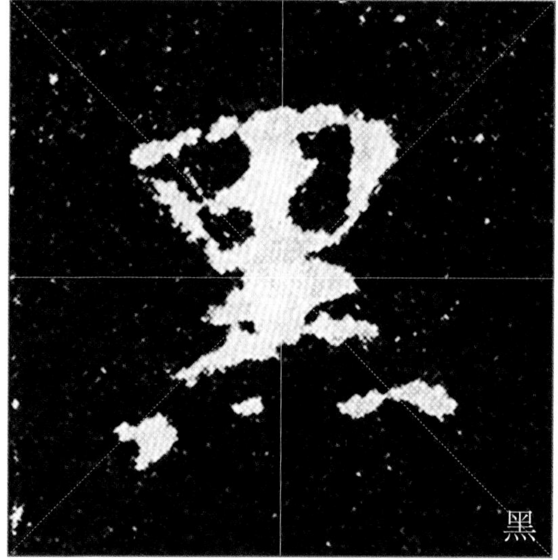
黑

人

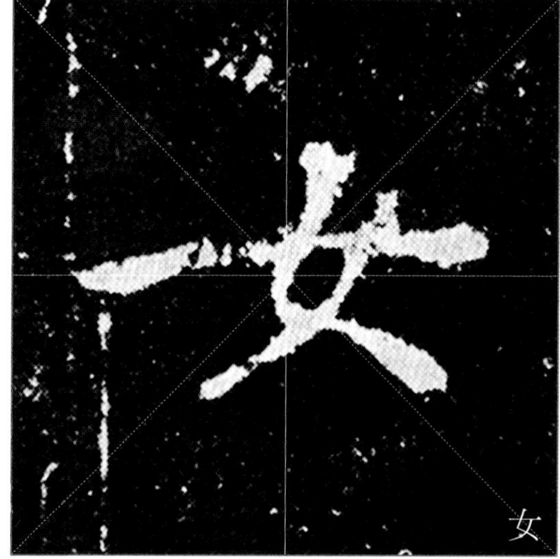
女

昔

志

不

张

及

司

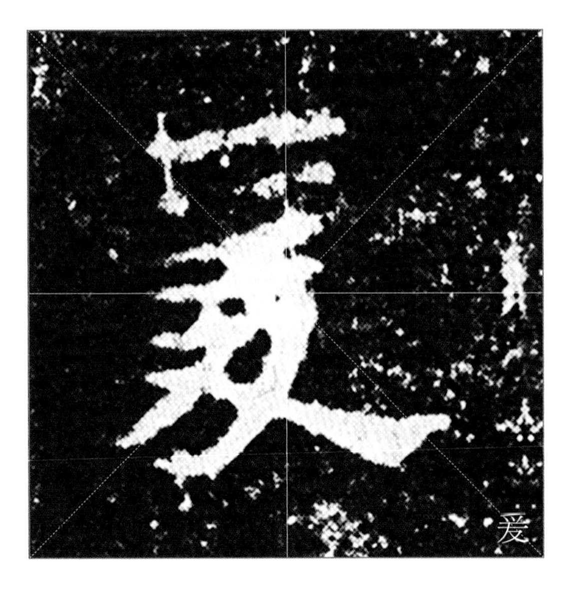
爱

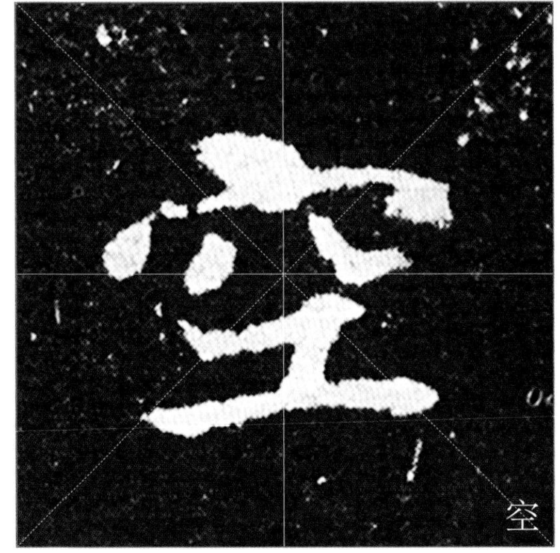
空

洁

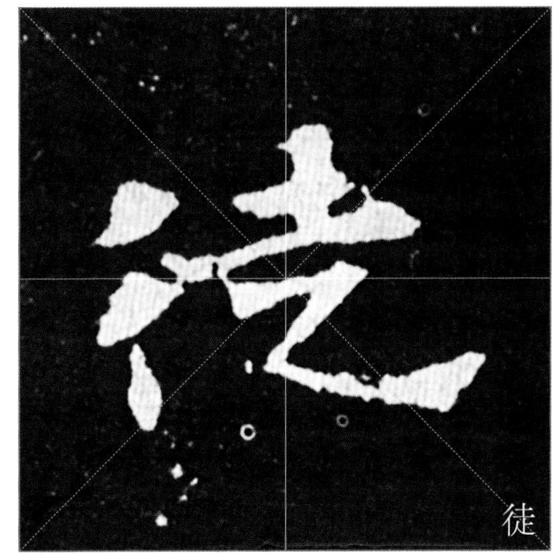
徒

吏

清

故

和

坚

部

太

尚

守

具

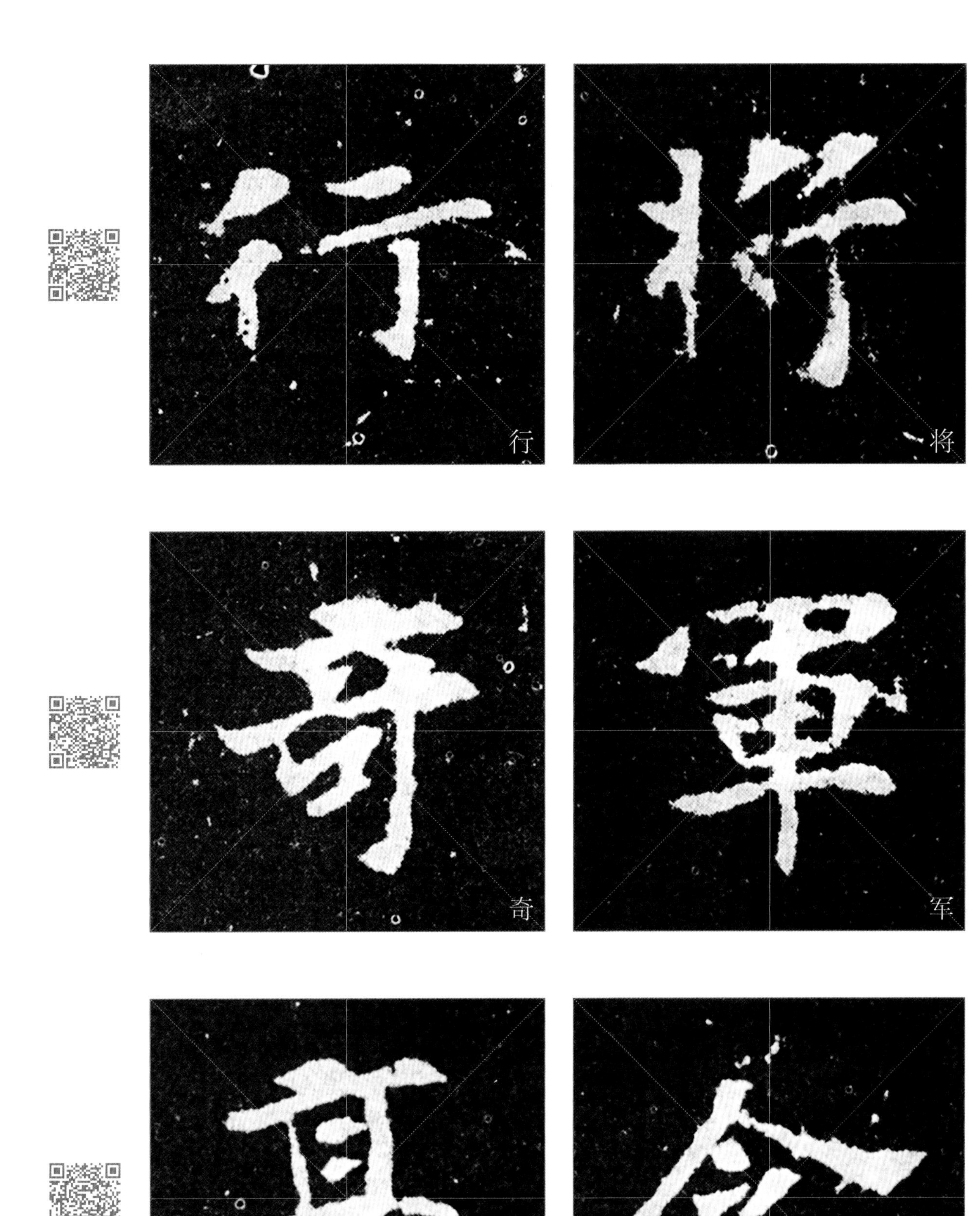

行 将 奇 军 高 含

照

量

阴

解

精

气